W9-DHN-864

Hamburg

Hamburg

Ein Porträt – A Portrait – Un Portrait

Urs Kluyver (Fotos)
Christoph Schumann (Texte)

Mit 91 Abbildungen

Edition Temmen

Die Deutsche Bibliothek verzeichnet diese Publikation in
der Deutschen Nationalbibliografie; detaillierte bibliografische Daten sind
im Internet unter http://dnb.ddb.de abrufbar.

Übersetzungen:
Hildegard & David Skevington (Englisch)
Elisabeth Dumontier (Französisch)

Umschlagabbildung vorn:
Die Binnenalster mit Alsterdampfer

Umschlagabbildungen hinten:
Alsterarkaden, Asiatisches Elefantenbaby,
Elbufer bei Nienstedten, Strand bei Övelgönne

3., aktualisierte Auflage 2010

Hohenlohestraße 21 – 28209 Bremen
Tel. +49-421-34843-0 – Fax +49-421-348094
info@edition-temmen.de – www.edition-temmen.de

Gesamtherstellung: Edition Temmen
ISBN 978-3-86108-956-8

Hamburg

Ein Porträt

Hamburg erwacht früh. Nachtschwärmer, die vom Baumwall an stromabwärts Richtung Landungsbrücken schlendern, entdecken Licht auf der anderen Elbseite. Im gelben Schein der Neonlampen werden am Athabaskakai riesige Containerschiffe abgefertigt. Tag und Nacht. Denn tatsächlich erwacht Hamburg nicht früh – Hamburg schläft gar nicht. Nur zwei Mal im Jahr macht der größte Wirtschaftsmotor der Stadt Pause: am 1. Mai und an Silvester.

Hamburg – eine Burg

Auch historisch ist der rund 755 Quadratkilometer große Stadtstaat – Hamburg ist Stadt und Bundesland zugleich, hat Bürgerschaft (Landtag) und Senat (Landesregierung) – ein Frühaufsteher. Schon in der Steinzeit gab es hier eine Siedlung. Das eigentliche Zentrum des »Tors zur Welt« liegt am Domplatz neben der Petrikirche. Hier fanden Archäologen Spuren der mittelalterlichen »Hammaburg«. Bis zu ihrer Zerstörung durch Wikinger im Jahre 845 sollte sie dem damaligen Bischof Ansgar (801–865) als Ausgangspunkt für die Glaubensmission in Richtung Norden dienen. Das angeblich von Kaiser Barbarossa im Jahr 1189 erteilte Hafenprivileg ist zwar eine im 13. Jahrhundert gefertigte Fälschung, aber dennoch bis heute die Grundlage für eines der größten Volksfeste im Jahreskalender – den Hafengeburtstag am 7. Mai.

A Portrait

Hamburg awakens early. Night-owls strolling down-river from Baumwall towards the wharves will see light on the other bank of the Elbe. Day and night, at the Athabaska Quay, giant container ships load and unload in the yellow glow of neon lights. In reality, Hamburg doesn't awaken early – because Hamburg never sleeps! Only twice a year does the city's biggest engine of the economy take a break: on May 1st and on New Year's Eve.

Hamburg – a castle

Hamburg is both a city and a federal state, with a City Parliament and a Senate. Historically too, this 755 square km city-state is an "early riser". As far back as the Stone Age there was a settlement here. The actual centre of the "Gateway to the World" lies at the Domplatz, next to St. Peter's Church, where archaeologists have found traces of a medieval castle, the "Hammaburg". At that time, it may have been the base from which Bishop Ansgar (801–865) conducted religious missions to the north, before it was destroyed by Vikings in 845. The harbour's charter, said to have been conferred by Emperor Barbarossa in 1189, has been shown to be a 13th century fake. However, to this day it is the basis for one of the biggest folk festivals in the annual calendar – the harbour's "birthday" on May 7th.

Un Portrait

Hambourg s'éveille tôt. Les noctambules, qui flânent sur la rive droite de l'Elbe du Baumwall aux embarcadères, découvrent de la lumière sur l'autre rive. Dans la lueur jaune des néons, on charge et on décharge de gigantesques porte-conteneurs au quai Athabaska. Jour et nuit – En fait Hambourg ne s'éveille pas tôt – Hambourg ne dort pas du tout. Deux fois par an seulement le plus grand moteur de l'économie de la ville fait une pause : le 1er Mai et à la saint Sylvestre.

Hambourg – un château fortifié

Sur le plan historique aussi, c'est une « lève-tôt », cette grande ville-Etat d'environ 755 km² – Hambourg est en effet à la fois ville et Land fédéral, avec un parlement (Bürgerschaft) et un gouvernement du Land (Senat). Dès l'âge de pierre s'était installée ici une colonie. Le centre véritable de la « Porte sur le Monde » se trouve sur la Domplatz à côté de l'église Petrikirche, où les archéologues trouvèrent les vestiges du château-fort du Moyen-âge « Hammaburg ». Jusqu'à sa destruction par les Vikings en 845, il doit avoir servi à l'archevêque Ansgar (801–865) de point de départ de sa mission religieuse vers le nord. L'empereur Barberousse lui accorda soi-disant en 1189 le privilège de port, qui est sans doute un faux établi au 13ème siècle, mais donne quand même lieu jusqu'à aujourd'hui à l'une des plus grandes fêtes populaires de l'année – l'anniversaire du port le 7 mai.

Freie und Hansestadt

Im 12. Jahrhundert erlebte Hamburg eine Blütezeit. Die Stadt wuchs, der Alsterstausee – die heutige Binnen- und Außenalster – und ein neuer Hafen entstanden. Der Fernhandel mit anderen Städten wurde im 13. Jahrhundert zu einem festen Bund: der Hanse. Sie brachte Sicherheit, finanziell und praktisch. Zum Beispiel gegen Seeräuber wie den legendären Klaus Störtebecker, der um 1400 vor Helgoland gestellt wurde.
Im April des Jahres 1528 wechselte Hamburg zu Luthers Glauben. 1588 entstand nahe der Alster die erste deutsche Börse, 1619 die Hamburger Bank. Doch das Glück war dem unabhängigen Hamburg nicht immer hold. Die Französische Revolution begrüßte man lebhaft – um in den kriegerischen Folgejahren von dänischen, französischen, russischen und wieder von französischen Truppen eingenommen zu werden. Erst Napoleons Ende brachte die lang ersehnte Freiheit zurück, und in der Folge entstand der stolze Titel »Freie und Hansestadt«. Eine einschneidende Veränderung geschah 1937/38, als die Städte Altona, Wandsbek und Harburg nach Hamburg eingemeindet wurden.

Hamburg modern

An älterer historischer Architektur kann Hamburg seinen Gästen nur noch weniges präsentieren, in der Deichstraße zum Beispiel oder in den Krameramtsstuben. Der Große Brand von 1842 vernichtete weite Teile der Altstadt – und ließ Neues wie die heute beliebten Alsterarkaden entstehen. Vor allem der Zweite Weltkrieg aber hinterließ Narben, die nur langsam verheilten. Rund die Hälfte der Hamburger

Free and Hanseatic City

The 12th century was a heyday for Hamburg. The town grew in size, and the Alster basin – today's Inner and Outer Alster – and a new harbour were developed. In the 13th century, flourishing trade led to the founding of the Hanseatic League. This brought with it financial benefits as well as protection, as for instance against the legendary pirate Klaus Störtebecker finally captured off Heligoland around 1400. In April 1528, Hamburg embraced Lutheranism. In 1588 the first German Exchange was established near the Alster, and in 1619 the Hamburger Bank was founded. However, the Free City of Hamburg was not always so fortunate. It greeted the French Revolution enthusiastically – only to be conquered successively by Danish, French, Russian and again French troops in the years of conflict that followed. Only the downfall of Napoleon brought back its long-sought freedom, and the proud title "Free and Hanseatic City" was acquired. A far-reaching change came with the incorporation of the towns of Altona, Wandsbek and Harburg into Hamburg in 1937/38.

Hamburg – modern city

Nowadays, only a little of medieval Hamburg remains, as for instance in Deichstraße and the Krameramtsstuben (Chandlers' Guild Chambers). The big fire of 1842 destroyed much of the old town which was replaced by new developments such as the popular Alster arcades. In particular, the Second World War left scars which healed only slowly. Around half of all the buildings in Hamburg were erected after 1945, but the business-like and

Ville libre et hanséatique

Hambourg connut la prospérité au 12ème siècle. La ville grandit, le lac de retenue de l'Alster – les actuels Binnen- et Außenalster – et un nouveau port virent le jour. Une alliance de villes pour le commerce extérieur se conclut au 13ème siècle : la Hanse, qui apportait la sécurité financière et pratique. Par exemple contre les pirates, comme le légendaire Klaus Störtebecker, qui fut arrêté vers 1400 devant Helgoland.
En avril 1528 Hambourg adopta la religion luthérienne. En 1588 apparut près de l'Alster la première Bourse allemande, en 1619 la Banque d'Hambourg. Mais la chance ne fut pas toujours favorable à l'indépendance d'Hambourg. On salua vivement la Révolution Française – et dans les années de guerre qui suivirent, ce fut l'occupation par les troupes danoises, françaises, russes et de nouveau françaises. La liberté longtemps désirée ne revint qu'après la chute de Napoléon, et par la suite Hambourg se glorifia du titre de « ville libre et hanséatique ». En 1937/38 eut lieu une transformation radicale, quand les villes d'Altona, Wandsbek et Harburg furent réunies à la commune d' Hambourg.

Hambourg moderne

De ses aspects moyenâgeux Hambourg n'a plus grand-chose à montrer à ses visiteurs. Le grand incendie de 1842 anéantit la majeure partie de la vieille ville – remplacée par des constructions nouvelles telles que les très appréciées arcades de l'Alster. Mais c'est surtout la Seconde Guerre Mondiale qui laissa des blessures longues à cicatriser. Environ la moitié des constructions d'Hambourg date d'après 1945. Les habitants à la pensée

Gebäude entstand nach 1945. Doch die gern kaufmännisch-pragmatisch denkenden Hanseaten haben längst gelernt, mit der Moderne zu leben. Sie lieben »ihre« neue Architektur nicht weniger als die alte, den gläsernen Bürobau Berliner Bogen wie den Kontorhausklassiker Chilehaus. Und ihre Shoppingtempel wie die Europa Passage oder den Bleichenhof teilen die rund 1,8 Millionen Hamburger gern mit den jährlich zu Millionen aus nah und fern anreisenden Tagesgästen.

Täglich neu präsentiert sich Hamburg als Pressehochburg – eine traditionelle Stellung, die noch heute durch Verlage wie Axel Springer oder Gruner + Jahr gesichert wird. An Elbe und Alster erscheinen u.a. die politischen Wochenzeitungen und Magazine wie »Die Zeit«, »Der Spiegel« und »Stern«. Aber auch populäre Zeitschriften wie »Brigitte«, »Petra« oder die Reisemagazine »GeoSaison« und »National Geographic«. Hier ist auch der Stammsitz der Deutschen Presseagentur und des NDR, der täglich neu das älteste TV-Nachrichtenmagazin der Republik ausstrahlt – die »Tagesschau«.

Hamburg grün und idyllisch

Hamburg ist eine überraschend naturreiche Großstadt und hat viele grüne Seiten. Ein Spaziergang um Binnen- und Außenalster – auch viel genutzte Joggingstrecken – gehört zu einem Hamburger Sonntag einfach dazu. Selbst beim berühmten Hamburger »Schmuddelwetter«, das im Übrigen bei rund 1600 Sonnenstunden im Jahr viel seltener ist als angenommen. Beliebte Ziele sind auch Planten un Blomen, der Stadtpark in Winterhude und der Altonaer Volkspark. Und natürlich die Elbe zwischen Altona und Blan-

pragmatic Hanseatic citizens have learned to live with the modern times. They love "their" new architecture no less than the old: the glass office building Berliner Bogen just as much as the "Kontorhaus"-style Chilehaus. And the 1.8 million inhabitants of Hamburg are happy to share their shopping palaces, such as the Europa Passage and the Bleichenhof, with the annually millions of day trippers.

Hamburg is a stronghold of the press and as such presents a fresh face every day – a traditional position maintained by publishing houses such as Axel Springer and Gruner + Jahr. Major political weekly papers and magazines such as "Die Zeit", "Der Spiegel" and "Stern" are published in the city on the Elbe and Alster together with more popular magazines such as "Brigitte" and "Petra" as well as the travel magazines "GeoSaison" and "National Geographic". The German Press Agency and the NDR, the TV station which broadcasts "Tagesschau", Germany's oldest news programme, have their headquarters here.

Hamburg – green and idyllic

Hamburg is a surprisingly green city. Nature is never far away. The walk around the Inner and Outer Alster – also a much-used jogging track – is a must on a Sunday, even in Hamburg's famously "messy weather" which, with approximately 1600 hours of sunshine a year, is much less common than is generally believed. Popular destinations also include the Planten un Blomen public gardens, the town park in Winterhude, and the Altona Volkspark, as well as the idyllic Övelgönne district with its ever popular "Strandperle". In spring,

volontiers pragmatique des commerçants ont pourtant appris depuis longtemps à vivre avec le moderne. Ils n'aiment pas moins « leur » nouvelle architecture que l'ancienne et l'immeuble de bureaux tout en verre, le « Berliner Bogen », tout autant que la classique Chilehaus. Les 1.8 millions environ d'Hambourgeois partagent volontiers avec les visiteurs venus par millions chaque année de près et de loin leurs tem- ples du shopping, tels l' « Europa passage » ou le « Bleichenhof ».

Hambourg se présente toujours et encore comme le berceau de la presse. Une place traditionnelle assurée aujourd'hui par des maisons d'édition comme Axel Springer ou Gruner + Jahr. L'Elbe et l'Alster voient non seulement paraître les hebdomadaires « Die Zeit » , « Der Spiegel » et « Stern» mais aussi des magazines populaires comme « Brigitte », « Petra » ou bien « GeoSaison » et « National Geographic ». Ici se trouve aussi le siège de l'Agence de Presse Allemande et de NDR, qui diffuse quotidiennement le magazine d'informations télévisé le plus ancien de la République, le « Tagesschau ».

Hambourg verte et idyllique

Hambourg est une grande ville où la nature et la verdure tiennent une place importante. Une promenade autour du Binnen- et de l'Außenalster – aux parcours de jogging très fréquentés – fait tout simplement partie d'un dimanche à Hambourg. Même par le fameux « sale temps » hambourgeois, qui du reste avec environ 1600 heures d'ensoleillement par an est beaucoup plus rare qu'on ne le laisse enten-dre. Buts de promenades également appréciés : « Planten un Blomen », le parc de Winterhude et

kenese – im idyllischen Övelgönne mit dem Kult-Treffpunkt »Strandperle« etwa herrscht häufig Hochbetrieb. Im Frühling zur Baumblüte ist Hamburgs Obstgarten im Alten Land ein Ausflugs-Muss. Dann sind auch eine gemächliche Kanufahrt auf Hamburgs zahlreichen Wasserstraßen oder ein Segeltörn auf der Alster am schönsten. Als grüne Attraktionen präsentieren sich auch Hamburgs Friedhöfe – der weltgrößte Parkfriedhof in Ohlsdorf ist nicht nur wegen der zahlreichen Gräber berühmter Persönlichkeiten wie Hans Albers oder Gustaf Gründgens sehenswert.

Hier wird Kunst gemacht

Dass Hamburg Musik, Kunst und Kultur von Weltformat bietet, wissen auch Millionen von Touristen zu schätzen. Sie bestaunen klassische und moderne Kunst in den etwa 40 Museen, darunter die berühmte Kunsthalle, die Deichtorhallen mit dem Haus der Photographie, das Museum für Kunst und Gewerbe und das »hamburgmuseum«. Weit reicht auch der Ruf der gleichfalls rund 40 Hamburger Bühnen. Zu ihnen gehören traditionsreiche Häuser wie Deutschlands größte Sprechbühne, das Deutsche Schauspielhaus, und das Thalia Theater. Volkstümlicher sind die Spielpläne des Ohnsorg-Theaters, der Komödie am Winterhuder Fährhaus oder im Ernst-Deutsch-Theater.

Besuchermagnet Hamburg

Den breitesten Kulturreiz übt Hamburg aber ohne Frage als Musicalhochburg aus. »König der Löwen« im Musicalzelt am Hafen, »Tarzan« in der Neuen Flora und neue Produktionen im Operettenhaus an St. Paulis berühmt-berüchtigter Vergnügungsmeile Reeperbahn ziehen

when the trees are in blossom, a visit to Hamburg's orchard in the Alte Land is not to be missed. At that time of year, a leisurely boat ride on one of Hamburg's many waterways or a sailing trip on the Alster are best appreciated. Hamburg's cemeteries are another green attraction. The world's largest parkland cemetery, in Ohlsdorf, is well worth a visit and not only to see the tombs of the many famous personalities who are buried there.

Art is made here

The fact that Hamburg offers world-class music, art and culture is appreciated by millions of tourists and locals alike. They come to admire classical and modern art in the 40 or so museums, including the famous Kunsthalle, the Deichtorhallen with its Haus der Photographie, the Museum für Kunst und Gewerbe, and the "hamburgmuseum". The city is also well-known for its approximately 40 theatres. These include Germany's largest theatre, the Deutsche Schauspielhaus, as well as the Thalia Theater, both rich in tradition. Others appeal more to the popular taste.

Hamburg – a magnet for visitors

In terms of cultural events, musicals are Hamburg's biggest attraction. The "Lion King" in the Musikzelt by the harbour, "Tarzan" in the Neue Flora, and new productions in the Operettenhaus on the Reeperbahn's infamous leisure mile in St. Pauli, attract music fans from all over the country. Rock and pop stars appear in clubs around the Reeperbahn, such as the "Große Freiheit", in the "Fabrik" in Bahrenfeld, and in the Color Line Arena multi-function hall. This latter is also

celui d'Altona. Et naturellement l'Elbe entre Altona et Blankenese – une intense activité règne souvent à Övelgönne avec son lieu de rendez-vous culte, le « Strandperle ». Au printemps, à la floraison, le verger d'Hambourg dans l'Alte Land est incontournable. Et puis il faut aussi faire une promenade nonchalante en canoë sur les nombreuses voies navigables d'Hambourg ou une sortie en voilier sur l'Alster. Les cimetières d' Hambourg attirent aussi pour leur verdure – Le parc abritant le cimetière le plus grand du monde à Ohlsdorf n'intéresse pas que pour les nombreuses tombes de personnalités célèbres comme Hans Albers ou Gustaf Gründgens.

Hambourg, ville d'art

Qu'Hambourg offre musique, art et culture à l'échelle mondiale, des millions de touristes savent l'apprécier. Ils sont émerveillés par l'art classique et moderne présenté dans environ 40 musées, parmi lesquels la célèbre « Kunsthalle », les galeries de la « Deichtor » avec la Maison de la Photographie, le musée des Arts et Métiers et le « hamburgmuseum ». Les 40 théâtres d'Hambourg ont aussi une large renommée. En font partie des salles traditionnelles comme la plus grande scène d'Allemagne, le «Deutsche Schauspielhaus » et le «Thalia Theater ». Plus populaires sont les répertoires du théâtre Ohnsorg et de la comédie à la « Fährhaus » de Winterhude ou au « Ernst-Deutsch-Theater ».

Hambourg, un « aimant » pour visiteurs

Mais c'est sans doute comme haut-lieu de la comédie musicale qu'Hambourg répand le plus largement son charme culturel. Le

Musikfans aus der ganzen Republik an. Deutsche und internationale Rock- und Popstars treten in Clubs wie der »Großen Freiheit« rund um die Reeperbahn, der »Fabrik« in Bahrenfeld oder in der Multifunktionshalle Color Line Arena auf. Dort tragen auch die Eishockeyspieler der Hamburg Freezers und die Handballer des Hamburger Sport Vereins ihre Heimspiele aus. Nur einen Steinwurf entfernt kicken die Fußballer des HSV in der »Imtech Arena«. Der Kiez- und Kultclub FC St. Pauli lädt seine treuen Fans ins Stadion am Heiligengeistfeld ein – auf dem drei Mal im Jahr auch der Dom stattfindet, Hamburgs großes Volksfest. Wie Hafengeburtstag, Alstervergnügen oder Schlagermove gehört es fest in den Partykalender der »Feier- und Hansestadt«.

Hamburg denkt voraus

Dass Hamburg sich nicht nur seiner selbst und der anerkannt hohen Lebensqualität erfreut, sollte bei einer weltoffenen Handelsmetropole nicht verwundern. Hamburg hat Moderne und Wandel stets begrüßt, ja vorgelebt. Damit dies in Zukunft so bleibt, denkt die Stadt voraus – und baut für heute und morgen. Stichwort HafenCity: In Gehweite von Rathaus und Hauptbahnhof entstand und entsteht als moderne Erweiterung der pittorsken Speicherstadt eine teils architektonisch anspruchsvolle Mischung aus Dienstleistungs- und Wohnhäusern. Hier öffnet sich Hamburg zur Elbe und entdeckt das Wasser neu. Eine sich fortwährend erneuernde Stadt möchte Deutschlands zweitgrößte Metropole bleiben. Mit spannenden Kontrasten, großen und kleinen Besuchermagneten und der bekannten Prise jenes unterkühlten hanseatischen Charmes, den lieben muss, wer ihn versteht.

also where the Hamburg Freezers ice-hockey team and the Hamburger Sport Verein handball players have their home games. And HSV's football matches are played nearby in the "Imtech Arena". FC St. Pauli, the cult club in the red light district, entertains its faithful fans at its Heiligengeistfeld stadium, where also Hamburg's big folk festival, the "Dom", is held three times a year. Just like the harbour anniversary, the Alstervergnügen street fair, and the Schlagermove parade, it is a fixed date in the calendar of this "Partying and Hanseatic City".

Hamburg thinks ahead

It is not surprising that a cosmopolitan city and commercial centre like Hamburg enjoys what it has to offer and makes the most of the quality of life for which it is justly famous. Hamburg has always welcomed modernity and change. The city thinks ahead and builds for tomorrow as well as for today, as can be seen in the HafenCity: within walking distance of the town hall and the main railway station, behind the picturesque warehouses, an ambitious mixture of offices and residences has been and still is being developed. Here, Hamburg opens up towards the Elbe and discovers the water anew. A "growing city" whose aim is to remain Germany's second largest metropolis – with its exciting contrasts, big and small visitor attractions, and the well-known pinch of understated Hanseatic charm which, if properly understood, one cannot help but love.

« Musicalzelt » au port, la « Neue Flora » et l' « Operettenhaus » sur l'avenue du plaisir de St Pauli, le Reeperbahn, attirent les amateurs de musique de toute la République. Les stars allemandes et internationales du rock et du pop se produisent dans des clubs autour du Reeperbahn, à la « Fabrik » de Bahrenfeld ou dans la salle polyvalente « Color Line Arena », où les hockeyeurs sur glace des « Hamburg Freezers » et les handballeurs du HSV disputent aussi leurs matchs à domicile. Tout près de là les footballeurs de l'HSV jouent dans la « Imtech Arena ». Le FC St Pauli invite ses fidèles supporters au stade de l'Heiligengeistfeld – où a lieu trois fois par an le « Dom », grande fête populaire d'Hambourg, inscrite au calendrier des festivités de la « Feier- und Hansestadt ».

Hambourg pense à l'avenir

Il n'est pas étonnant qu'une métropole commerciale à rayonnement mondial, ne se satisfasse pas que d'elle-même et de sa bonne qualité de vie reconnue. Hambourg a toujours bien accueilli, voire anticipé le modernisme et le changement. Pour qu'il en soit de même dans l'avenir, la ville pense à l'avenir – et construit aujourd'hui pour demain. Mot-clé « Hafen City » : À deux pas de l'Hôtel de Ville et de la gare, un mélange de bureaux et d'habitations à l'architecture en partie ambitieuse est apparu et se poursuit telle une extension moderne des pittoresques entrepôts.. Là, Hambourg s'ouvre sur l'Elbe et redécouvre l'eau. Une ville en constante mutation, qui voudrait rester la 2ème métropole d'Allemagne. Avec ses contrastes passionnants, ses petits et grands attraits pour visiteurs et cette touche bien connue de charme hanséatique un peu froid que doit aimer celui qui le comprend.

Hamburgs repräsentative Mitte liegt in der City rund um den Rathausmarkt. Der 111 Meter hohe Turm krönt das Rathaus mit seiner Neorenaissancefassade. Hamburgs Regierung und Parlament, Senat und Bürgerschaft, haben hier seit 1897 ihren Sitz. Einen Höhepunkt des Rathausjahres bildet das seit 1356 ausgerichtete Matthiae-Mahl: 400 Politiker und internationale Ehrengäste lädt Hamburg alljährlich im Februar zu Tisch.

Hamburg's imposing city centre is located around the Rathausmarkt. The town hall with its Neo-Renaissance façade is crowned by a 111 m tower and Hamburg's City Parliament and Senate have been housed here since 1897. Since 1356 the Matthiae-Mahl has been a highlight of the town hall calendar: in February each year Hamburg hosts a dinner here for 400 politicians and international guests of honour.

Le centre représentatif d'Hambourg se trouve dans la « City » autour de la place de l'Hôtel de ville. Une tour de 111 mètres couronne l'hôtel de ville et sa façade néo-Renaissance, siège depuis 1897 du gouvernement (Senat) et du parlement (Bürgerschaft) d'Hambourg. Un des plus beaux moments de l'année : le repas – Matthiae-Mahl – offert chaque année depuis 1356 en février à 400 hommes politiques et invités d'honneur internationaux.

Blick vom Turm der Nikolaikirche in Richtung Rathaus und Alster. Vorn die Binnenalster, »Hamburgs gute Stube«, und hinter der Lombards- und der Kennedybrücke erstreckt sich das urbanste Segelrevier Europas, die Außenalster

View from the tower of St. Nikolai towards the town hall and the Alster. In the foreground the Inner Alster, „Hamburg‘s parlour“, and beyond the Lombards- and Kennedybrücke (bridges) the Outer Alster, Europe's most urban sailing venue.

Hôtel de ville et Alster, vus du clocher de l'église St Nicolai. Devant, c'est le Binnenalster, le "salon d'Hambourg", et derrière le pont lombard et le pont Kennedy s'étend le domaine de voile le plus urbain d'Europe, l'Außenalster.

SASELBEK

Am Jungfernstieg starten die Alsterdampfer zu ihren Fahrten auf Binnen- und Außenalster. Der Junfernstieg ist Hamburgs berühmteste Flaniermeile. Eine Kaffeepause im 1953 errichteten Alsterpavillon (kleines Foto unten) gehört zum Shoppingbummel dazu.

The Alster boats start on their tours of the Inner and Outer Alster alongside the Jungfernstieg, which is Hamburg's most exquisite and famous shopping street. A break for a coffee in the Alsterpavillon (small photo below) built in 1953 is a must during a shopping spree.

Les promenades en bateaux à vapeur sur l'Alster intérieure et extérieure partent du jungfernstieg. Le Jungfernstieg est la promenade la plus connue d'Hambourg. Incontournable la pause café à l' « Alsterpavillon » (petite photo) pour se reposer du lèche-vitrine.

Die Alsterschwäne gehören fest zum Bild der Alsterarkaden im Schatten des Rathauses. Hamburgs »gute Stube« in der Innenstadt wurden von Alexis de Chauteauneuf nach der Zerstörung des alten Rathauses durch den Großen Brand vom 5. bis 8. Mai 1842 entworfen. Zu den Alsterarkaden gehört auch Hamburgs älteste Passage, die Mellin-Passage.

The view of the Alsterarkaden in the shadow of the town hall is not complete without the Alster swans. Hamburg's "parlour" in the city centre was designed by Alexis de Chateauneuf, following the destruction of the old town hall in the great fire, which lasted from 5 to 8 May 1842. The Mellin-Passage is Hamburg's oldest shopping arcade and part of the Alsterarkaden.

Les cygnes font partie du tableau des arcades de l'Alster, à l'ombre de l'hôtel de ville. Le « salon » d'Hambourg fut concue par Alexis de Chateauneuf après la destruction complète du centre ville lors du grand incendie du 5 au 8 Mai 1945. La plus ancienne ruelle d'Hambourg, la « Mellin-Passage » a été intégrée aux arcades d'Hambourg.

Die Alsterarkaden an der Kleinen Alster. Sie entstanden nach dem Großen Brand von 1842, als weite Teile der Innenstadt durch einen dreitägigen Flächenbrand in Schutt und Asche fielen. Im oberen Teil der Arkaden lagen Wohnungen, und im unteren Teil sind sie noch immer das, was sie schon immer waren: eine Einkaufspassage.

The Alsterarkaden by the Kleine Alster. These arcades were constructed after the big fire of 1842, when large areas of the city centre were razed to the ground in a conflagration lasting three days. The upper parts used to be residential and the lower are what they have always been: shopping arcades.

Les arcades de l'Alster au bord du petit Alster, construites après l'incendie de 1842 qui, en trois jours, réduisit en cendres une grande partie du centre ville. En haut ce sont des logements et en bas ce qu'elles ont toujours été : une galerie commerciale.

BVLGARI
WEITZ

Typisch für Hamburg sind die vielen Passagen wie der moderne Einkaufstempel Europa Passage, der Mönkebergstraße und Jungfernstieg verbindet. Auch das Hanseviertel und der zu Beginn des 18. Jahrhunderts angelegte Neue Wall gehören zu den Ladenvierteln in der City wie die Fußgängerzone Gerhofstraße, die zum Gänsemarkt führt.

The many shopping arcades are typical for Hamburg; one of them is the modern Europa Passage which links Mönkebergstraße and Jungfernstieg. The Hanseviertel and the Neue Wall, dating back to the beginning of the 18th century, are also shopping areas in the city, as is the Gerhofstraße pedestrian zone (small photo, below right) leading to the Gänsemarkt.

Typique pour Hambourg, ses nombreux « passages », comme la nouvelle mèque commerciale « Europa Passage », la « Mönckebergstraße » qui relient le Jungfernstieg. De même, le quartier de la « Hanse » et le « Neue Wall « érigé au début du 18ième siècle font partie intégrante des quartiers de magasins du centre ville ainsi que la « Gerhofstraße » qui aboutit sur le « Gänsemarkt ».

Alt und neu elegant verbunden – das Ensemble der Hamburger Kunsthalle am Glockengießerwall fasziniert innen wie außen durch seinen Reichtum an Kontrasten. Der Altbau aus dem 19. Jahrhundert (vorn) zeigt die Alten Meister. Im hellen Quader der »Galerie der Gegenwart« ist zeitgenössische Kunst zu Hause (eröffnet 1999, Entwurf von Oswald Mathias Ungers).

Old and new linked elegantly together – the Hamburger Kunsthalle on Glockengießerwall with its richness of contrasts is as fascinating inside as it is outside. The old building from the 19th century (in front) exhibits Old Masters. Contemporary art is on show in the light-coloured square building, the "Galerie der Gegenwart" (opened in 1999, to a design by Oswald Mathias Ungers).

Alliance élégante de l'ancien et du moderne, la « Kunsthalle » (Galerie des Beaux-Arts) sur le Glockengießerwall fascine à l'intérieur comme à l'extérieur par ses contrastes. Le vieux bâtiment du 19ème siècle (devant) présente les vieux maîtres. Le cube clair de la « galerie du présent » abrite l'art contemporain (inauguré en 1999, dessiné par Oswald Mathias Ungers).

Nach den drei Gebäuden der Kunsthalle, der Freien Akademie der Künste und weiteren Einrichtungen endet Hamburgs Kunstmeile am alten Oberhafen an den Deichtorhallen. Seit den 1980er Jahren beherbergen die 1914 als Großmarkthallen errichteten Gebäude Ausstellungen. Auch das »Haus der Photographie« – im Bild – ist ein Besuchermagnet.

The three buildings of the Kunsthalle, the Freie Akademie der Künste, together with other establishments make up Hamburg's artistic mile which extends as far as the Deichtorhallen by the old Oberhafen. What were formerly market halls dating from 1914 have been housing exhibitions since the 1980s. The "Haus der Photographie", seen here, is a magnet for visitors.

Après la Kunsthalle, la Freie Akademie der Künste (académie libre des arts) et d'autres encore, l'avenue des arts d'Hambourg se termine au vieil Oberhafen, par les Deichtorhallen, construites en 1914 comme halles du marché en gros et qui abritent depuis les années 1980 des expositions. La Maison de la Photographie (sur la photo) attire aussi de nombreux visiteurs.

Willkommen in Alt-Hamburg. Die Wasserseite der Deichstraße am Nikolaifleet mit ihren liebevoll restaurierten Häusern und Speichern sieht aus wie zur Zeit ihrer Errichtung im 17. und 19. Jahrhundert. Heute ist die Gasse auch wegen ihrer vielen Restaurants ein Lieblingsziel von Hamburgern und Touristen.

Welcome to Old Hamburg. The waterside of Deichstraße at the Nikolaifleet, with its lovingly restored houses and warehouses, looks very much as it did when it was constructed in the 17th and 19th centuries. Today, Deichstraße with its many restaurants is a popular destination for both locals and tourists.

Bienvenue dans le Vieux Hambourg – La rue Deichstraße au bord du canal Nikolaifleet, avec ses maisons et entrepôts affectueusement restaurés, ressemble à ce qu'elle était lors de leur construction aux 17ème et 19ème siècles – Aujourd'hui la ruelle est très fréquentée par Hambourgeois et touristes à cause aussi de ses restaurants.

Die Peterstraße liegt in der Hamburger Neustadt und gehört zu den wenigen historischen Straßenbildern der Elbmetropole: Das mit seinen Stiftsgebäuden und Wohnhäusern pittoreske Fassadenensemble wurde jedoch erst zwischen 1966 und 1982 aus nahen Neustädter Straßen am jetzigen Ort zusammengetragen und neu aufgebaut.

Peterstraße, located in Hamburg's new town, is one of the few streets in the original style in the Elbe metropolis. Old charitable foundations and residences from nearby were brought here and re-erected between 1966 and 1982.

La Peterstraße, dans la Ville Nouvelle, fait partie des quelques rues historiques de la métropole mais se compose d'éléments pris entre 1966 et 1982 à des rues voisines de la Ville Nouvelle et rassemblés à l'emplacement actuel.

Im Schatten des »Michel« liegen die Krameramtswohnungen. Heute Romantik pur, wurden die Häuser im 17. Jahrhundert aus sozialen Gründen errichtet: Alte, arbeitsunfähige Krämer – also Einzelhändler – oder ihre Witwen sollten hier preiswert wohnen und ihren Lebensabend verbringen können.

The Krameramtswohnungen (Chandlers' Guild houses) lie in the shadow of the "Michel". Today simply romantic, they were built in the 17th century for sick or retired retailers or their widows where they could live out the last years of their lives at little expense.

A l'ombre du « Michel » : les « Krameramtswohnungen ». C'est aujourd'hui pur romantisme. Dans ces maisons construites au 17ème siècle étaient hébergés à bon marché des petits commerçants âgés et invalides ou leurs veuves et ils pouvaient y passer leurs vieux jours.

Der Michel ist mehr als Hamburgs Wahrzeichen: Mit ihrem 132 Meter hohen Turm ist die schönste Barockkirche Norddeutschlands weithin sichtbar. Im Innenraum von St. Michaelis – so der offizielle Name der Hauptkirche – haben bis zu 2500 Kirchgänger Platz. Die Turmuhr des Michel mit acht Metern Durchmesser die größte in Deutschland – der lange Zeiger misst fünf Meter. Zweimal am Tag spielt der Turmbläser in luftiger Höhe einen Choral. Auch dann, wenn das Schlepperballett zum Hafengeburtstag »tanzt«.

More than just Hamburg's emblem: Hamburg without its "Michel" is inconceivable. With its 132 m high tower the most beautiful baroque church in northern Germany is visible from afar. The interior of St. Michaelis – the official name of the church – has room for 2,500 church-goers. The clock on the tower is the biggest in Germany, it has a diameter of 8 m and the minute hand measures 5 m. Twice a day the trumpeter plays a chorale at dizzy heights – not missing out on the day of the harbour anniversary, when even the tugboats are "dancing".

Il est plus que le symbole d'Hambourg : Hambourg est inconcevable sans son « Michel ». Grâce à sa tour de 132 m de haut, on voit de loin la plus belle église baroque de l'Allemagne du Nord. A l'intérieur de l'église Saint Michel – dénomination officielle de cette église – peuvent prendre place 2500 visiteurs. L'horloge du « Michel » est avec ses 5 mètres de diamètre la plus grande d'Allemagne, la grande éguille mesure 5 m. Deux fois par jour, le fanfa-riste joue un choral tout en haut, même lorsque le ballet des remorqueurs danse dans le port.

СЕДОВ

Seit Ende des 19. Jahrhunderts prägten Hunderte von modernen Kontorhäusern Hamburgs Innenstadt. In den sachlich-funktionalen Gebäuden waren ausschließlich Büros zu Hause, doch an den Fassaden waren verspielte Details und auch Ironie erlaubt – wie bei dieser Allegorie an einem Kontorhaus in der Ferdinandstraße.

Since the end of the 19th century hundreds of modern office premises built in the "Kontorhaus"-style have defined Hamburg's city centre. Their interiors were sober and functional, but the façades carried playful and ironic details, as illustrated by this allegory on a "Kontorhaus" in Ferdinandstraße.

Depuis la fin du siècle le centre-ville d'Hambourg est marqué par des centaines d'immeubles modernes de bureaux. Ces bâtiments d'une sobriété fonctionnelle étaient réservés aux bureaux mais sur les façades on se permettait des détails frivoles et de l'ironie – comme cette allégorie sur un immeuble de la Ferdiandstraße.

Hamburg besitzt mehr Brücken als Venedig, mehr als 2300. An einer davon, der Trostbrücke am Nikolaifleet zwischen Rathaus und Speicherstadt, steht der 1907/08 erbaute Globushof. Das Gebäude gilt als eines der schönsten der berühmten Hamburger Kontorhäuser. Erbaut wurde das repräsentative Haus mit vielen Barockelementen von den Architekten Lundt und Kallmorgen für die Globus-Versicherungs AG.

Hamburg has more bridges than Venice, over 2300. Near one of them, namely the Trostbrücke at the Nikolaifleet between the town hall and the old warehouse complex, is the so-called Globushof which was built in 1907/08. This building is considered to be one of the most beautiful of the famous Hamburg "Kontorhäuser". The prestigious office building with its many baroque features was designed by the architects Lundt and Kallmorgen for the Globus Insurance Company.

Hambourg possède 2300 ponts. Plus que Venise. Accolé à l'un deux, le « Trostbrücke am Nikolaifleet » entre l'hôtel de ville et la « Speicherstadt », le « Globushof ». Ce bâtiment est considéré comme l'une des plus belles maisons patriciennes d'Hambourg. Cet hôtel particulier aux nombreux élements de style baroque fu construit par les architectes Lundt et Kallmorgen pour les assurances Globus AG.

»Seht, Hamburg treibt Handel mit der ganzen Welt«, will diese Allegorie am »Haus der Seefahrt« sagen (Hohe Brücke/ Ecke Deichstraße, erbaut 1909/10). Im Hintergrund der Turm der ehemaligen Hauptkirche St. Nikolai, die 1943 bei einem der Luftangriffe der »Operation Gomorrah« zerstört wurde und heute als Mahnmal für die Opfer von Krieg und Gewalt gepflegt wird.

This allegory on the "Haus der Seefahrt" (Hohe Brücke/corner of Deichstraße, built 1909/10) says: "Look, Hamburg trades with the whole world". In the background the tower of St. Nikolai. The church was destroyed in 1943 in an "Operation Gomorrah" air raid and today serves as a memorial to victims of war and violence.

« Regardez, Hambourg fait du commerce avec le monde entier », veut dire cette allégorie sur l' « Haus der Seefahrt »(Hohe Brücke/ coin de la Deichstr., construite en 1909/10). En arrière-plan, la flèche de l'ancienne église St Nikolai, détruite en 1943 lors d'une attaque aérienne de l' « Opération Gomorrhe », aujourd'hui mémorial pour les victimes de la guerre et de la violence.

Blick aus der südlich gelegenen Speicherstadt auf den Turm der St. Katharinenkirche. Im Vordergrund eines der vielen Kontorhäuser, die um die Wende vom 19. zum 20. Jahrhundert das Gesicht der Hamburger Innenstadt beherrschten.

View from the Speicherstadt, in the south, to the tower of St. Katharinenkirche. In the foreground, one of the many "Kontorhaus" buildings which have defined the face of Hamburg's city centre from around the turn of the 19th century.

Ici la tour de l'église St Katharinen vue de la Speicherstadt au sud. Au premier plan, l'un des nombreux immeubles de bureaux qui marquèrent le visage du centre-ville au passage du 20ème siècle.

Die Türme der alten Hamburger Hauptkirchen prägen noch immer das Bild der Innenstadt. Blick über die Binnenalster in Richtung Südosten. Von links nach rechts ragen die Türme von St. Jacobi, St. Petri und St. Katharinen in die Höhe. Dahinter ist gut die an der Norderelbe entstehende HafenCity zu erkennen.

The towers of Hamburg's principal churches still dominate the city centre. A view to the south east across the Inner Alster; from left to right, the towers of St. Jacobi, St. Petri and St. Katharinen rise up. Behind, the developing HafenCity on the Norderelbe is clearly visible.

Les tours des vieilles églises d'Hambourg marquent encore l'image du centre-ville. Au-delà du Binnenalster, vue sur le sud-est. De gauche à droite se dressent les tours de St Jacobi, St Petri et Ste Katharinen. On peut apercevoir l' « Hafencity » naissante au bord de la Norderelbe .

Der Blick aus entgegengesetzter Richtung. Seit dem frühen 17. Jahrhundert ist das Becken der aufgestauten Alster zweigeteilt in Binnen- und Außenalster. Rechts im Bild sind die drei Gebäude der Hamburger Kunsthalle gut zu erkennen: in der Mitte der Altbau mit direktem Anschluss an die erste Erweiterung und oben der helle Quader der Galerie der Gegenwart.

Opposite view. Since the early 17th century, the dammed Alster basin has been divided into two: Inner and Outer Alster. To the right, the three buildings of the Hamburger Kunsthalle can be clearly seen. The old building in the middle is linked on the right to the first extension; and above is the light-coloured square of the Galerie der Gegenwart.

Vue dans le sens opposé. Depuis le début du 17ème siècle, le bassin de retenue de l'Alster forme deux parties : le Binnen- et l'Außenalster. A droite de la photo, les trois bâtiments de la Kunsthalle : au milieu la construction ancienne, directement rattachée à la première extension et en haut le cube clair de la Galerie d'Art contemporain.

Hamburgs größter See ist gar keiner, sondern lediglich das Becken der aufgestauten Alster. Die Außenalster dient nicht nur als Wassersportrevier für Segler. Auch Ruderer und Kanufahrer sind auf der Alster zwischen Winterhude, Harvestehude (hier im Bild) und Innenstadt häufige Gäste. Rechts am Ufer ein Clubhaus eines der traditionsreichen Hamburger Rudervereine.

Hamburg's largest lake isn't strictly a lake at all, but the dammed Alster basin. The Outer Alster serves not only as a venue for sailors, but also for rowers and canoeists who are often to be seen on the Alster between Winterhude, Harvestehude (photo) and the city centre. On the right bank: the club house of one of Hamburg's long-established rowing clubs.

Le plus grand lac d'Hambourg n'en est pas un, mais seulement le bassin de retenue de l'Alster. L'Außenalster n'est pas le secteur réservé des voiliers, rameurs et canoéistes s'invitent aussi souvent sur l'Alster entre Winterhude, Harvestehude (photo) et le centre-ville. A droite sur la rive, le pavillon de l'un des traditionnels clubs d'aviron d'Hambourg.

Kaum zu glauben, dass noch vor wenigen Jahrzehnten hier die Pferde vermögender Hamburger weideten. Wo sich heute Städter vom Arbeits- und Großstadtstress erholen, erstreckten sich einst die Gärten der Villen am Harvestehuder Weg bis zum Ufer! Das im Volksmund Alsterpark genannte Grün am Harvestehuder Weg heißt offiziell Alstervorland und ist bei Hochwasser Überschwemmungsgebiet.

It is hard to believe that only a few decades ago the horses of wealthy Hamburg citizens were grazing here. Where today city people relax from the stress of work and the hustle of the big city the gardens of villas once extended to the riverbank! This green area along Harvestehuder Weg is popularly called Alsterpark though the official name is Alstervorland and it is liable to flooding at high tides.

Il est à peine croyable que les chevaux de riches Hambourgeois aient été ici au pré il y a quelques décennies. Là où aujourd'hui les citadins se reposent du stress du travail et de la grande ville, les jardins des villas du Harverstehuder Weg s'étendaient alors jusqu'au bord de l'eau. Ce que l'on appelle communément le parc de l'Alster est officiellement l'Alstervorland et il est inondé lors des crues.

Blick auf die Krugkoppelbrücke, die Harvestehude (rechts der Eichenpark) mit Winterhude verbindet. Das bevorzugte Wohngebiet geizt nicht mit Grün und Alsternähe. Ein schöner Blick über das Wasser bis zur Innenstadt lässt sich im Café und Bootshaus »Bobby Reich« an der Straße mit dem treffenden Namen »Fernsicht« genießen.

View towards Krugkoppelbrücke which links Harvestehude (to the right: the oak park) with Winterhude. This popular residential area by the Alster has generous green spaces. A lovely view across the water to the city centre can be enjoyed from "Bobby Reich", a café and boathouse in the street fittingly named "Fernsicht" (far views).

Vue sur le Krugkoppelbrücke, pont qui relie Harverstehude et Winterhude. Quartier résidentiel recherché au milieu de la verdure et à proximité de l'Alster. La vue porte par-dessus le plan d'eau jusqu'au centre-ville, depuis le café et hangar à bateaux « Bobby Reich », rue « Fernsicht ».

Gute Hamburger Tradition sind die vielen Wohnstifte. Zu ihnen gehört auch das am Alsterkanal in Eppendorf gelegene »Kloster St. Johannis«, ein Alterssitz ausschließlich für Frauen. Der Name deutet auf die Anfänge im Jahre 1531 hin, als die ersten Damen die Gebäude des aufgelösten Nonnenklosters in Harvestehude bezogen.

A good Hamburg tradition is the presence of many endowed residential homes. One of these is the "Kloster St. Johannis" by the Alster Canal in Eppendorf, exclusively for elderly women. The name hints at its beginnings in 1531, when the first ladies moved into the buildings of the then disbanded nunnery in Harvestehude.

Une tradition d'Hambourg : les nombreuses maisons de retraite, dont fait partie, le long du canal de l'Alster à Eppendorf, le couvent St Johannis, une résidence réservée aux dames âgées. Son nom évoque son origine en 1531, quand les premières dames emménagèrent à Harvestehude dans les bâtiments de l'ancien couvent de femmes.

Der Stadtpark in Winterhude ist Hamburgs große Freizeitoase. An schönen Sommertagen spielen hier Tausende Sonnenhungrige Fuß- oder Volleyball, treffen sich zum Schach, zum Grillen – oder sie genießen einfach nur ihre ruhige Zeit. Im Stadtparksee gibt es sogar ein Freibad: ein echtes Naturbad, ganz ohne Chlorzusatz.

The town park in Winterhude is Hamburg's big leisure oasis. Here, on fine summer days, thousands of sun-worshippers play football or volleyball, or meet for a game of chess, or for a barbecue, or just enjoy their free time. There is an outdoor swimming area in the lake, a truly natural bath without the addition of chlorine.

Le parc de Winterhude est le grand oasis de loisirs d'Hambourg. Par les belles journées d'été, des milliers d'amoureux du soleil jouent ici au foot ou au volley, aux échecs, grillent – ou profitent simplement de leur tranquillité. Dans le lac du parc il y a même une piscine tout à fait naturelle, sans chlore.

Abendstimmung im Stadtpark. Im Hintergrund das markante Symbol von Hamburgs größter Grünanlage, das 38 Meter hohe Planetarium. Entstanden ist der Bau im Jahr 1913 ursprünglich als Wasserturm. Ein Besuch lohnt – der Sternenhimmel in der Kuppel, die einen Durchmesser von 21 Metern hat, ist beeindruckend.

Evening atmosphere in the town park. In the background: the 38 m high planetarium, the striking symbol of Hamburg's largest green. The building was erected in 1913 as a water tower and is well worth a visit – the starry skies in the 21 m diameter dome are particularly impressive.

Atmosphère du soir dans le parc de la ville. En arrière-plan le symbole marquant du plus grand îlot de verdure d'Hambourg, le planetarium, haut de 38 m, bâti à l'origine comme château d'eau en 1913. Il mérite une visite avec son impressionnante voûte étoilée de 21 m. de diamètre dans la coupole.

Leben und studieren: Das Abaton-Kino am Allende-Platz im Stadtteil Rotherbaum ist nicht nur bei Hamburgs Studenten ein allbekannter Treffpunkt. Gleich dahinter beginnt der Campus der Universität, der sich bis zum Uni-Hauptgebäude schräg gegenüber vom Dammtor-Bahnhof erstreckt.

Living and studying: the Abaton cinema at the Allende-Platz in the Rotherbaum district is a popular meeting place particularly for students. Behind it, the campus extends as far as the main university building diagonally across from the Dammtor railway station.

Vivre et étudier : Le cinéma Abaton sur la place Allende dans le quartier Rotherbaum est un lieu de rendez-vous connu de tous et pas seulement des étudiants. Juste après commence le campus de l'université qui s'étend jusqu'à son bâtiment principal en face de la gare de Dammtor.

Eine Hamburger Institution und als Szenerie zahlreicher Film- und Fernsehserienproduktionen auch überregional bekannt: der pittoreske Isemarkt. Unter dem Hochbahnviadukt der U-Bahnlinie 3 suchen Hobbyköche und Gourmets immer dienstags und freitags nach Frischwaren der Saison – stilvoll und regengeschützt zugleich.

The picturesque Isemarkt: a Hamburg institution known nationwide as a popular set in numerous film and TV productions. Every Tuesday and Friday, cooking enthusiasts and gourmets seek out fresh seasonal items under the rail viaduct of underground line 3 – stylish and protected from the rain.

Le pittoresque marché Isemarkt, ici une véritable institution, connu au-delà de la région pour avoir servi de décors à de nombreux films et séries télévisées. Sous le viaduc du métro aérien (ligne 3), les cuisiniers amateurs et les gourmets viennent chercher, les mardis et vendredis, les produits frais de saison – de bon goût et à l'abri de la pluie !

Wohnen, einkaufen und ausgehen auf engstem Raum: Wie hier am Eppendorfer Weg zeigen sich die beliebten Quartiere in den Stadtteilen Hoheluft-Ost, Eppendorf und Eimsbüttel voller attraktiver Facetten. Auch in der Metropole Norddeutschlands spielt sich im Sommer das Leben draußen ab – fast wie im fernen Süden.

Living, shopping and going out all within a conveniently small area, as seen here on Eppendorfer Weg. Such popular areas in the Hoheluft-Ost, Eppendorf and Eimsbüttel districts have much to offer. In northern Germany's metropolis life is lived outside in the summer – almost as it is in the far south.

Habiter, faire ses achats et ses sorties dans un espace restreint : comme ici dans le Eppendorfer Weg, les quartiers Hoheluft-Ost, Eppendorf et Eimsbüttel présentent de multiples et attrayantes facettes. Dans cette métropole d'Allemagne du Nord aussi, on vit l'été dehors – presque comme dans le sud si lointain.

Einer der schönsten Eppendorfer Parks ist Hayns Park im Norden des Stadtteils. Im Bild der kleine Rundtempel (Monopterus), das besondere Schmuckstück im einstigen Sommersitz von Bürgermeister Max Theodor Hayn und heute ein idealer Treffpunkt zum gemeinschaftlichen Spielen, Feiern und eben auch zum Grillen.

One of the most beautiful parks in Eppendorf is Hayns Park in the north of the district. The small round temple (Monopterus), a special gem within the former summer residence of Mayor Max Theodor Hayn, is today an ideal meeting point for friendly games, celebrations and barbecues.

L'un des plus beaux parcs d'Eppendorf est le Hayns Park au nord du quartier. Sur la photo, le petit temple rond (Monopterus), autrefois joyau de la résidence d'été du maire Max Theodor Hayn et aujourd'hui rendez-vous idéal pour jouer entre amis, fêter et même griller.

Zurück in der Geschäftsstadt Hamburg: Schnittig wie ein Schiffsbug – das 1924 fertiggestellte Chilehaus liegt zwischen Mönckebergstraße und Speicherstadt im »Kontorhausviertel«. Bauherr Henry Brarens Sloman war durch Salpeterimport aus Chile zu märchenhaftem Reichtum gelangt und beauftragte Fritz Höger mit dem Bau. Das Chilehaus ist bei der Unesco als Träger des prestigeträchtigen Titels »Weltkulturerbe« vorgeschlagen.

Back in the commercial city of Hamburg: stylish like a ship's bow – the Chilehaus, completed in 1924, is located between Mönckebergstraße and the Speicherstadt in the "Kontorhaus" quarter. Henry Brarens Sloman, who had made a fabulous fortune importing saltpetre from Chile, commissioned the architect Fritz Höger to design this building which has been nominated for the prestigious title of Unesco "World Heritage Site".

Retour dans la ville des affaires : « coupante » comme la proue d'un navire – la Chilehaus, achevée en 1924, entre Mönckebergstraße et entrepôts, dans le quartier des bureaux. Le promoteur Henry Brarens Sloman avait fait fortune en important du nitrate de potassium du Chili, il chargea Fritz Höger de la construction, proposée à l'UNESCO pour le tire prestigieux de « patrimoine culturel mondial »

Die Dienstleistungsmetropole Hamburg setzte mit ihrer Büroarchitektur bereits mehrfach Maßstäbe. So ragte jüngst aus der Uniformität konventioneller Entwürfe auch der »Berliner Bogen« am Anckelmannplatz im Stadtteil Hammerbrook hervor: 14.000 Quadratmeter Glas machen das Dach des Bürohauses zum größten seiner Art in Europa.

Hamburg has set a yardstick with its office architecture on several occasions. The "Berliner Bogen" on Anckelmannplatz in the Hammerbrook district was chosen from the many submissions for its outstanding design: its 14,000 sq. m glass roof is the largest of its kind in Europe.

Hambourg, métropole du secteur tertiaire, prit déjà ses marques avec son architecture de bureaux. Ainsi le « Berliner Bogen » émergea récemment de l'uniformité générale, sur la place Anckelmann dans le quartier Hammerbrook : 14000 m^2 de verre font du toit de l'immeuble le plus grand d'Europe de cette sorte.

Die Speicherstadt ist eine Stadt in der Stadt. Das zwischen 1885 und 1912 mit Lagergebäuden bebaute Gebiet hat eine Länge von 1,5 Kilometern. Nur noch wenige Händler lagern hier im früheren Freihafen ihre Waren. Statt ihrer nutzen zahlreiche Museen und Besuchermagneten wie das Eisenbahn Miniatur-Wunderland oder das Gruselkabinett von »Hamburg Dungeon« die historischen Gebäude entlang der Fleete und Kanäle.

The Speicherstadt is a city within the city. The warehouses built between 1885 and 1912 extend over a length of 1.5 km. Only a few are still used for storage in this former free harbour. Instead, these historic buildings along the waterways are now museums or accommodate visitor attractions such as the Eisenbahn Miniatur-Wunderland and the "Hamburg Dungeon".

La Speicherstadt est une ville dans la ville, avec ses entrepôts construits entre 1885 et 1912 sur 1,5 kms. On n'entrepose plus ici dans l'ancien Port Libre que peu de marchandises. A leur place dans ces bâtiments historiques le long des canaux, de nombreux musées et autres « aimants » pour visiteurs comme le Pays Merveilleux du Train Miniature ou le musée des horreurs de « Hamburg Dungeon ».

5

Die Welt im Maßstab 1:47: Das Miniatur-Wunderland in der Speicherstadt gilt als größte Modelleisenbahnanlage der Welt. Ob Hamburg mit den Landungsbrücken (im Bild), Amerika, Skandinavien oder die Schweizer Alpen – auf rund 1200 m² fahren fast 900 Züge auf zwölf Kilometern Gleisen. Mit mehr als einer Million Besuchern im Jahr gehört das »MiWuLa« zu den größten Freizeitattraktionen im Norden.

The world on a scale of 1:47: "Miniatur-Wunderland" in the Speicherstadt is believed to be the biggest model railway in the world. Be it Hamburg with its jetties (photo), America, Scandinavia or the Swiss Alps – on an area of approximately 1200 sq. m around 900 trains travel on 12 km of rail. The "MiWuLa", with its annual influx of more than 1.000.000 visitors, is one of the biggest leisure-time attractions in northern Germany.

Le monde à l'échelle 1 :47 : le monde féerique miniature au sein de la « Speicherstadt » est considéré comme la plus grande maquette de trains du monde. Qu'il s'agisse d'Hambourg avec ses quais (photo), de l'Amérique, la Scandinavie ou les Alpes Suisses – presque 900 trains circulent sur 12 km de voies sur environ 1200m2. Avec plus d'un million de visiteurs par an, la « MiWuLa » fait partie des plus grandes attractions du Nord.

Die markanten Backsteinbauten der Speicherstadt am Hafen sind eines der Hamburger Wahrzeichen. Zur Bauzeit nach dem Anschluss der Hansestadt an das Zollinland des Deutschen Reiches 1888 war dies der größte Lagerhauskomplex der Welt. Früher lagerten in den sieben- und achtstöckigen Häusern Kaffee, Gewürze, Teppiche und andere Waren. Heute sind viele der Lagerflächen in Büros umgewandelt. Auch Museen oder das Miniatur-Wunderland sind in der Speicherstadt zuhause.

The striking brick buildings of the Speicherstadt are indelibly associated with Hamburg. When they were built, around the time the Hanseatic city was annexed into the German customs territory (1888), it was the world's largest warehouse complex. Coffee, spices, carpets, etc. were stored in buildings seven or eight storeys high. Today a lot of the warehouse space has been converted into offices. Museums and "Miniatur-Wunderland" have also found a home here.

Les bâtiments typiques en brique rouge de la « Speicherstadt »sur le port sont un des emblèmes d'Hambourg. A l'époque de sa construction en 1888, ce complexe représentait le plus grand entrepôt du monde. Ici s'entassaient café, épices, tapis et autres marchandises. Aujourd'hui, la plupart de ces bâtiments sont des bureaux. S'y trouvent aussi le pays des merveilles en miniature et des musées.

Historische Schiffe vor moderner Kulisse: Das Quartier Am Sandtorkai gehört zu den schönsten der neuen HafenCity. Hier – zwischen Speicherstadt und Hamburgs ältestem Hafenbecken, dem Sandtorhafen – sind in den letzten Jahren neue Wohn- und Bürogebäude entstanden. Unternehmen wie die chinesische Reederei China Shipping mit ihrer Europazentrale oder das Bankhaus Wölbern haben sich hier angesiedelt. Und wer am Sandtorkai wohnt, hat den begehrten Hafenblick.

Historic ships against a modern background: Am Sandtorkai is one of the finest districts in the new HafenCity. Here, between Speicherstadt and Hamburg's oldest harbour basin, the Sandtorhafen, new residential and office buildings have been built. Companies such as China Shipping with its European headquarters and Bankhaus Wölbern have located here. And those living on Sandtorkai have the much desired harbour view.

Des bateaux historiques dans un décor moderne : le quartier de « Sandtorkai » est l'un des plus beaux du centre ville moderne. Ici, entre la « Speicherstadt » et le plus vieux port d'Hambourg, le « Sandtorhafen » ont été érigés dans les années passées des appartements et des bureaux. Des entreprises comme la compagnie maritime chinoise China Shipping avec sa succursale ou bien la Banque Wölbern s'y sont installées. Et ceux qui vivent au Sandtorkai profitent de la vue très prisée sur le port.

Während die Magellan-Terrassen am Sandtorhafen viel Freifläche für Events bieten, präsentiert sich die HafenCity an den 2007 fertig gestellten Marco-Polo-Terrassen am Kopf des Grasbrookhafens mehr von ihrer gemütlichen Seite. Knapp 1000 Quadratmeter Rasen und mehr als 30 Bäume lockern die weite helle Steinfläche auf. Im Hintergrund die Bebauung am Dalmannkai.

While the Magellan-Terrassen at the Sandtorhafen offer a lot of open space for events, the HafenCity at the Marco-Polo-Terrassen (completed in 2007) situated at the head of the Grasbrookhafen presents a cozy atmosphere. Approximatley 1000 square meters of lawn and more than 30 trees loosen the bright stone surface. In the background you can catch a glimpse of the construction at the Dalmannkai.

Tandis que les terrasses Magellan sur le port Sandtor offrent un large espace à l'évènementiel, l'HafenCity avec les terrasses Marco-Polo terminées en 2007 à la pointe du port Grasbrook montre davantage son côté intime. A peine 1000m2 de gazon et plus de 30 arbres égayent la vaste surface de pierre claire. A l'arrière-plan, les constructions sur le quai Dalmann.

Seatrade
Seatrade

Blick auf das »Hanseatic Trade Center« an der Kehrwiederspitze, die heutige Landmarke an der historischen Einfahrt zum Hamburger Binnenhafen. In der Bildmitte die »Cap San Diego«. Sie war einer von sechs eleganten Mehrzweckfrachtern der »Cap San-Klasse« der Reederei Hamburg Süd und ist heute als Museumsschiff an der Überseebrücke zu besichtigen.

A view of the "Hanseatic Trade Center" at Kehrwiederspitze, today's landmark at the historic entrance to Hamburg's inner harbour. In the middle of the picture the "Cap San Diego". It was one of six elegant multi-function freighters of the "Cap San-Class" built for the Hamburg Süd shipping company and is today a museum ship moored at the Überseebrücke quay.

Vue sur l' « Hanseatic Trade Center » à la Kehrwiederspitze, l'actuel point de repère à l'entrée du Binnenhafen – Au milieu de la photo, le « Cap San Diego ». C'était l'un des six élégants cargos de la société d'armement Hamburg Süd, c'est aujourd'hui un bateau-musée amarré à l'Überseebrücke.

Viel besucht und viel fotografiert: die St. Pauli-Landungsbrücken, einst das Sinnbild für Hamburg als »Tor zur Welt«. Heute geht es hier von den Pontons aus weniger auf Weltreise, sondern vielmehr für Hunderte Hamburgtouristen täglich auf zur Hafenrundfahrt. Aber auch die Fähren flussabwärts Richtung Finkenwerder, Teufelsbrück, Stade und Cuxhaven legen hier an und ab.

Much visited and much photographed: the St. Pauli quays, once the emblem of Hamburg as the "Gateway to the World". Today, these pontoons no longer serve people embarking on a world tour but rather the hundreds of tourists who daily take a boat trip around the harbour. Also the ferries going down-river to Finkenwerder, Teufelsbrück, Stade and Cuxhaven leave from here.

Beaucoup visités et photographiés : les embarcadères de St Pauli, autrefois symboles d'Hambourg en tant que « Porte sur le Monde » – Aujourd'hui il s'agit moins, au départ des pontons, de tour du monde que de visites commentées du port pour des centaines de touristes. Mais les vedettes qui descendent le fleuve vers Finkenwerder, Teufelsbrück, Stade et Cuxhaven accostent ici également.

IRIS ABICHT

Ein liebend gern gesehener Gast in Hamburg: Wenn die »Queen Mary II« die St. Pauli-Landungsbrücken passiert, wie hier auf dem Weg zum Kreuzfahrtterminal Grasbrook (Cruise Terminal HafenCity), säumen Tausende Schaulustige das Ufer.

Always a very welcome guest in Hamburg: when the “Queen Mary II” passes the St. Pauli quays on its way to the Grasbrook Cruise Terminal in the HafenCity, thousands of curious onlookers line the streets.

Un invité que l’on aime voir à Hambourg, le « Queen Mary II », admiré comme ici par des milliers de badauds à son passage devant les embarcadères de St Pauli vers le terminal des paquebots de croisière Grasbrook (Cruise Terminal HafenCity).

Die »Queen Mary II« liegt für Wartungsarbeiten im Trockendock »Elbe 17« der 1877 gegründeten Hamburger Traditionswerft Blohm + Voss.

The Queen Mary II berthed for maintenance work in the "Elbe 17" dry dock of Blohm + Voss, the well-known Hamburg shipyard founded in 1877.

Le « Queen Mary II », pour travaux d'entretien, dans la cale sèche « Elbe 17 » du traditionnel chantier naval d'Hambourg Blohm+Voss fondé en 1877, pour des travaux d'entretien.

Hamburg ist Deutschlands »Musical-Hauptstadt«. Klassiker wie »König der Löwen« am Hafen, das Besucher per Fähre von den Landungsbrücken aus erreichen, »Tarzan« oder »Ich war noch niemals in New York« ziehen alljährlich Zehntausende Musikfans an.

Hamburg is Germany's "Musical Capital". Classic shows such as "Lion King", in a venue by the harbour and reached by ferry from the jetties, "Tarzan" and "I've Never Been to New York" attract tens of thousands of music fans every year.

Hambourg est la capitale allemande des comédies musicales. Les grandes productions comme « le roi-lion » sur le port qui accueille son public sur bateau, « Tarzan » ou « Je ne suis jamais allé à New York » attirent chaque année des milliers de spectateurs.

Das Elbufer in Altona hat seinen einstigen Industriecharme dank moderner Architektur hinter sich gelassen. Ein Highlight der vielen »Elbperlen« ist das markante Bürohaus »Dockland«: Wie der Bug eines Schiffes ragt das 40 Meter lange Bürohaus über das Wasser der Elbe. Das Dach des vom Hamburger Architekturübor Bothe Richter Teherani ist ein beliebter Aussichtspunkt.

The former industrial charm once evident on the banks of the Elbe in Altona has given way to modern architecture. The striking office building "Dockland" is one of the many highlights amongst the "Elbe Pearls". Like the bow of a ship, the 40 m long office building projects above the waters of the Elbe. The roof, a design by the Hamburg architectural firm Bothe Richter Teherani, is a popular viewing point.

Les bords de l'Alster à Altona ont laissé derrière eux leur charme architectural post-industriel grâce aux constructions modernes. Particulièrement remarquable, le complexe de bureaux « Dockland ». Semblable à la proue d'un navire, la bâtisse surplombe l'Elbe de 40 m. Le toît des bureaux de l'architecte Bothe Richter Teherani offre un point de vue remarquable.

Sightseeing- und Verkehrsobjekt zugleich – der Alte Elbtunnel an den St. Pauli-Landungsbrücken verbindet die Innenstadt mit den Hafenteilen auf der anderen Elbseite. Gebaut wurden die beiden fast 450 Meter langen Röhren in den Jahren von 1907 bis 1911, um die Werft- und Hafenarbeiter schneller an ihre Arbeitsplätze und zurück nach Hause gelangen zu lassen.

For both sightseers and for traffic – the old Elbe tunnel by the St. Pauli quays links the city centre with the harbour areas on the other side of the Elbe. The two almost 450 m long tunnels were constructed between 1907 and 1911 in order to speed up the journey of shipyard workers and dockers to and from their place of work.

Servant à la circulation et en même temps touristique, le Vieux Tunnel sous l'Elbe relie le centre ville et les parties du port situées sur l'autre rive. Les deux cylindres de presque 450 m. de long furent construits de 1907 à 1911, pour faciliter le trajet travail-maison aux ouvriers du port et des chantiers navals.

Keine Frage: Die Reeperbahn – benannt nach den langen Bahnen der Reepschläger (= Seilmacher) – ist Hamburgs berühmteste Straße. Zwischen Millerntor und Großer Freiheit reihen sich Besucherattraktionen wie die Musicalspielstätte Operettenhaus, das Schmidt-Theater oder das St. Pauli-Theater aneinander. Hinzu kommen zahlreiche Clubs, Diskos, »Shows« – und die »Davidwache« der Polizei.

No doubt: the Reeperbahn – so called because of the long length ("Bahn") required by rope makers – is Hamburg's most famous street. Between Millerntor and Große Freiheit one visitor attraction follows another, such as the Operettenhaus, the Schmidt-Theater and the St. Pauli-Theater. There are also numerous clubs, discos, "shows" – and the "Davidwache" police station.

Aucun doute : Le Reeperbahn est l'avenue la plus célèbre d'Hambourg. Entre la Millerntor et la Große Freiheit s'alignent les attractions comme l'Operettenhaus, le Schmidt-Theater ou le St Pauli-Theater, auxquelles s'ajoutent de nombreux clubs, « boites », « shows » – et le poste de police Davidwache.

Die Große Freiheit an der Reeperbahn macht ihrem Namen seit über 300 Jahren alle Ehre. Wo einst der Altonaer Handel und Religion geschützt waren, also »Freiheit« genossen, sorgen nun Kultur und Amüsement für Freisinn: Hier spielte die Handlung des legendären Films »Große Freiheit Nr. 7« mit Hans Albers, und die Beatles traten im nicht minder berühmten Star-Club inmitten des Hamburger Rotlichtviertels auf.

Große Freiheit on the Reeperbahn has lived up to its name for over 300 years. In Altona, where once commerce and religion enjoyed "Freiheit" (freedom), today culture and entertainment enjoy freedom of a different kind. The legendary film "Große Freiheit Nr. 7" with Hans Albers is set here and the Beatles performed in the no less famous Star-Club in the centre of Hamburg's red light district.

Die Große Freiheit (rue de la grande liberté) donnant sur le Reeperbahn fait honneur à son nom depuis plus de 300 ans. A Altona où autrefois commerce et religion jouissaient de liberté, culture et divertissement veillent désormais à l'esprit libéral : on tourna ici le film légendaire « Große Freiheit Nr 7 » avec Hans Albers et les Beatles se produisirent dans le non moins célèbre Star-Club au milieu du quartier « chaud ».

Ein Hamburger Unikat bei der Arbeit: Die erotischen Werbebilder des Malers Erwin Ross († 2010) gehörten zum Kiez auf St. Pauli jahrzehntelang dazu – und lockten erfolgreich die Gäste in die vielen Etablissements auf der Reeperbahn.

A Hamburg celebrity at work: Erwin Ross' († 2010) seductive advertising posters have been part of St. Pauli's red light district for decades and have successfully attracted visitors to the many establishments along the Reeperbahn.

Un original hambourgeois au travail : les peintures publicitaires érotiques du peintre Erwin Ross († 2010) firent partie pendant des décennies du quartier « chaud » de St Pauli, elles attiraient les clients dans les nombreux établissements du Reeperbahn

BLOHM

Kaiser-
granat
9,95
Holzmakrele
Seelachs
filet
4,95

Der Fischmarkt ist ein Hamburger Markenzeichen: Jeden Sonntag ab früh um fünf wird auf dem traditionsreichen Markt in Altona gehandelt, gefeilscht oder einfach nur gestaunt – und das seit 1703. Von frischem Fisch bis zu Bananen, Blumen und Trödel reicht das Angebot. Highlight sind die Marktschreier wie »Aale-Dieter«. In der historischen Fischauktionshalle (links oben) gibt's später zum Brunch Live-Musik.

The Fischmarkt is a typical Hamburg feature. Every Sunday morning from 5 o' clock onwards people trade, haggle or simply marvel at this Altona market with its long-established tradition – and they have been doing so since 1703. Everything is on offer, from fresh eggs to bananas, from flowers to junk. Barkers like "Eel-Dieter" are a high point. At brunchtime there is live music in the old fish auction hall (above left).

Le marché de poissons est un des emblèmes d'Hambourg. Chaque dimanche depuis 1703, à partir de 5 heures du matin, les badauds et les marchands s'affairent. On y trouve tout : du poisson frais à la broquante en passant par les fruits et fleurs. Les crieurs comme « le Dieter aux anguilles » y sont célébrés. Dans les anciennes halles de vente aux enchères des poissons (en haut à gauche) les visiteurs prennent en fin de matinée un brunch accompagné de musique live.

Die »Monte Sarmiento« der Reederei Hamburg Süd wird frühmorgens am Terminial Burchardkai beladen. Sie ist nach dem gleichnamigen Berg in Feuerland benannt und in der »Monte Klasse« eines von mehreren baugleichen Schiffen der Reederei (Länge 272 m, Breite 40 m, Containerkapazität 5552 TEU).

The "Monte Sarmiento" owned by the Hamburg Süd shipping company is being loaded early in the morning at the Burchardkai terminal. It is named after the mountain of that name in Tierra del Fuego and is one of several boats built to the same design (length 272 m, breadth 40 m, container capacity 5552 TEU).

Le chargement, tôt le matin, du « Monte Sarmiento » de l'armement Hamburg Süd au terminal Burchardkai. Cinquième de six navires identiques de l'armement, il fut mis en service en mai 2005 (longueur 272 m, largeur 40 m, capacité de containers 5552 TEU).

Die »Colombo Express« der Reederei Hapag Lloyd vor dem Terminal Altenwerder an der Süderelbe. Sie kann bis zu 8750 Container (TEU) laden und ist mit einer Länge von 336 m und Breite von 43 m ein beeindruckender Anblick.

Hapag Lloyd's "Colombo Express" at the Altenwerder terminal on the Süderelbe. It has a container capacity of 8750 TEU and with its length of 336 m and its breadth of 43 m it is an impressive sight.

Le « Colombo Express » de l'armement Hapag Lloyd devant le terminal Altenwerder sur la Süderelbe. Il peut charger jusqu'à 8750 containers (TEU)et en impose avec ses 336m de long et 43m de large.

Das Feuerschiff »Elbe 3« mit einem kleinen Begleiter auf der Süderelbe kurz vor der Unterquerung der 1970–74 errichteten Köhlbrandbrücke. »Elbe 3« ist das älteste fahrbereite Feuerschiff der Welt (Baujahr 1888) und im Museumshafen Övelgönne zu besichtigen. Rechts neben dem westlichen Pylon der Brücke liegt die Einfahrt zur Rugenberger Schleuse.

The "Elbe 3" lightship has company on the Süderelbe as it approaches Köhlbrandbrücke built between 1970 and 1974. The lightship is the oldest one in operation in the world (built 1888) and can be visited at the Övelgönne Museumshafen. To the right of the western pylon of the bridge is the entrance to the Rugenberg sluice.

Le bateau-feu « Elbe 3 » avec un petit accompagnateur sur la Süderelbe peu avant son passage sous le Köhlbrandbrücke construit en 1970–74. Ce bateau-feu est le plus ancien du monde (1888) toujours prêt à faire mouvement et on peut le visiter au port-musée d'Övelgönne. A droite du pylône-ouest du pont, on aperçoit l'accès à l'écluse Rugenberg.

Blick vom Köhlbrand in Richtung des Containerterminals Altenwerder am Westufer der Süderelbe. Die Durchfahrtshöhe der Köhlbrandbrücke beträgt bei Niedrigwasser genau 54 Meter.

View from Köhlbrand to the container terminal at Altenwerder on the west bank of the Süderelbe. The clearance of Köhlbrandbrücke is exactly 54 m at low tide.

A partir du Köhlbrand, vue sur le terminal pour containers Altenwerder sur la rive ouest de la Süderelbe. La hauteur sous pont atteint exactement 54 m. à marée basse.

Der Hamburger Hafen live: Dieser hervorragende Blick auf den Walthershofer Athabaskakai lässt sich vom Strand in Övelgönne aus genießen. Das große Containerterminal gehört der Hamburger Hafen- und Logistik-Aktiengesellschaft, kurz HHLA genannt.

Hamburg harbour live: this amazing view of the Athabaska Quay at Walthershof can be enjoyed from Övelgönne beach. The big container terminal belongs to Hamburger Hafen- und Logistik-Aktiengesellschaft, HHLA for short.

Le port d'Hambourg en direct : De la plage d'Övelgönne, on peut jouir de cette vue exceptionnelle sur le quai Athabaska de Walthershof. Ce grand terminal pour containers appartient à l'HHLA, société anonyme du port et des docks d'Hambourg.

Blick vom Elbstrand in Richtung Museumshafen Övelgönne nach Osten. Der große kuppelbekrönte Bau ist das alte »Kühlhaus Union«, das heute eine Seniorenresidenz mit Traumausblick beherbergt. Der Flaggenmast gehört zur »Strandperle«, einer einzigartig urigen Mischung aus Kiosk und Bistro.

View from the Elbe beach eastwards to the Övelgönne Museumshafen. The large domed building is the old "Kühlhaus Union" which is today a senior citizens home with amazing views for its residents. The flagpole is that of the "Strandperle", a unique and down-to-earth mixture of kiosk and bistro.

A partir de la plage, vue en direction du port-musée d'Övelgönne vers l'est. Le grand immeuble surmonté d'un dôme est l'ancienne « Kühlhaus Union », aujourd'hui résidence du troisième âge jouissant d'une vue de rêve. Le mât pour pavillons fait partie du « Strandperle », mélange sans égal de kiosque et de bistrot.

Blick über die Elbe auf das Jenisch-Haus im Herzen des gleichnamigen Parks im noblen Elbvorort Othmarschen. Der klassizistische Bau beherbergt das »Museum großbürgerlicher Wohnkultur« – einen besseren Standort könnte es dafür in Hamburg gar nicht geben.

View across the Elbe to the Jenisch-Haus located in the park of the same name in the fashionable suburb of Othmarschen. The classicistic building houses a museum depicting the way the upper classes used to live – there couldn't be a better location for it in Hamburg.

Vue au-delà de l'Elbe sur la Maison-Jenisch au cœur du parc du même nom dans la banlieue élégante Othmarschen. Cette construction classique abrite le « Museum großbürgerlicher Wohnkultur », qui n'aurait pas pu être mieux situé à Hambourg.

Hamburg ist stolz auf seinen Stadtteil Blankenese. Das frühere Fischerdorf am Ende der berühmten Elbchaussee gilt heute als mondän und fein. Idyllisch gemütlich wirkt dabei das historische Treppenviertel mit Blankeneses ältestem Kern am Strandweg. Weil der Elbhang so steil ist, verbinden nur zwei Straßen, aber 58 Fußwege den oberen mit dem unteren Teil.

Hamburg is proud of its Blankenese district. This former fishing village at the end of the famous Elbchaussee is today a splendid and fashionable place. The historic steps in Blankenese's oldest part at Strandweg give it an idyllic appearance. Because the Elbe bank is so steep only two streets but 58 footpaths link the lower with the upper part.

Hambourg est fière de son quartier Blankenese. Cet ancien village de pêcheurs au bout de la célèbre Elbchaussee passe de nos jours pour mondain et élégant. Le quartier historique des escaliers avec le cœur de Blankenese au bord du chemin côtier lui donne cet idyllique caractère intime. Etant donné l'escarpement de la rive de l'Elbe, seules deux rues, mais 58 chemins piétons relient la partie haute et la basse.

Hamburg von seiner idyllischen Seite: Övelgönne mit seinen kleinen Fachwerk- und Backsteinhäusern ist eines der wenigen autofreien Quartiere der Hansestadt. An besonders schönen Sommertagen drängeln sich auf dem schmalen Uferweg die Spaziergänger und Radfahrer entlang der alten Häuserzeile.

The idyllic side of Hamburg: Övelgönne with its small half-timbered and brick houses is one of the few car-free parts of the Hanseatic city. Particularly on fine summer days pedestrians and cyclists crowd the narrow path along the riverbank with its row of old houses.

Hambourg sous un aspect idyllique : Övelgönne et ses petites maisons de briques à colombages est l'un des rares quartiers sans voitures de la ville hanséatique. Les jours d'été particulièrement baux, promeneurs et cyclistes se pressent sur l'étroit chemin bordant la rive, tout au long des vieilles maisons alignées.

Unmittelbar westlich von Hamburg begann bis zur Eingemeindung 1937/38 das Gebiet der Großstadt Altona. Noch heute zeigt sie ihr prägnantes Gesicht: Das weiße Rathaus versinnbildlicht die Eigenständigkeit der holsteinischen Stadt, die 1866/67 vom Königreich Dänemark an Preußen überging.

Prior to its incorporation in 1937/38 Altona was a large town immediately to the west of Hamburg. To this day it has retained its distinctive appearance: the white town hall symbolises the independence of this Holstein town, which was transferred from the Danish kingdom to Prussia in 1866/67.

Tout de suite à l'Ouest d'Hambourg débutait la grande ville d'Altona jusqu'à sa réunion avec Hambourg en 1937/38. L'hôtel de ville blanc symbolise l'autonomie de cette ville du Holstein, qui passa en 1866/67 du Royaume du Danemark à la Prusse.

Die Bewohner nennen ihr buntes Viertel rund um die Straße »Schulterblatt« kurz »die Schanze«. Der Stadtteil liegt mit seinen internationalen Restaurants, Cafés und Läden zwischen dem alten Schlachthofgelände, Altona und St. Pauli. Die besondere Atmosphäre zieht immer mehr Kreative und Medienschaffende in das Quartier, das seinen Namen der hier einst als Teil der Stadtbefestigung gelegenen »Sternschanze« verdankt.

The colourful area around "Schulterblatt" street is known to its residents as "die Schanze" for short. With its international restaurants, cafés and shops it lies between the site of the old abbatoir, Altona and St. Pauli. Because of its special atmosphere increasing numbers of arts and media people are attracted to this area which owes its name, "Sternschanze", to it being a part of the city's former fortifications.

Les habitants de ce quartier coloré autour de la rue « Schulterblatt » (omoplate) l'appellent en bref « die Schanze »(le retranchement). Avec ses restaurants, cafés et magasins internationaux, il est situé entre les abattoirs, Altona et St Pauli. Son atmosphère particulière attire toujours plus de créateurs. Il doit son nom au « Sternschanze », qui faisait autrefois partie des fortifications de la ville.

Wenn »Dom« ist, feiert Hamburg. Dreimal im Jahr locken Karussels, Bier und Losbuden zum Bummeln auf das Heiligengeistfeld nach St. Pauli – im Frühling, Sommer und Winter. Weit über eine Million Besucher strömen jeweils zum größten Volksfest des Nordens, das seine Ursprünge schon im 11. Jahrhundert hat. Seinen Namen hat der »Dom« vom alten Hamburger Marien-Dom, der 1804 abgerissen wurde.

Hamburg celebrates its "Dom" three times a year: in spring, summer and winter. It is the biggest folk festival in northern Germany, with carousels, beer and lucky-dip kiosks, and is held on Heiligengeistfeld in St. Pauli. This folk festival which dates back to the 11th century attracts well over one million visitors. Its name refers to the old "Marien-Dom", a cathedral which was demolished in 1804.

A l'heure du « Dom », tout Hambourg est en fête. La plus grande fête populaire du Nord a lieu trois fois par an sur le « Heiligengeistfeld » de Saint Paul, au printemps, en été et en automne. Cette fête dont l'origine remonte au 11ième siècle attire plus d'un million de visiteurs par an. Elle doit son nom « Dom » à la cathédrale Sainte Marie qui fut rasée en 1804.

Hamburg hat keinen Zoo, Hamburg hat Hagenbeck. Und man sieht: Nicht nur die Besucher fühlen sich hier wohl. Schon bei seiner Eröffnung 1907 war die neue Anlage von Carl Hagenbeck (1844–1913) im Stadtteil Stellingen wegweisend – als erster gitterloser Tierpark der Welt. Die bei Groß und Klein beliebte Attraktion mit 1850 Tieren von Affen bis zu Zebras ist seit jeher in privater Hand. Ein Highlight sind die Dschungelnächte.

Hamburg hasn't a zoo, Hamburg has Hagenbeck. And as one can see, not only the visitors are happy here. When it was opened in 1907 Carl Hagenbeck's (1844 – 1913) site in the Stellingen district was a pioneering venture – it was the first animal park in the world without cages. This popular attraction for all ages with 1,850 animals from apes to zebras has always been in private hands. The jungle nights are a highlight.

Hambourg n'a pas de zoo, Hambourg a Hagenbeck. Et il n'y a pas que les visiteurs qui s'y sentent bien, cela se voit. Dès son ouverture en 1907 par Carl Hagenbeck (1844 – 1913) dans le quartier de Stellingen, ce premier parc zoologique du monde sans clôtures ouvrit des perspectives. Cette attraction pour petits et grands, avec 1850 animaux de l'ara au zèbre, est depuis toujours entre des mains privées. Les « nuits de la jungle » en sont le plus beau moment.

Weit über Hamburg hinaus bekannt ist der Ohlsdorfer Friedhof. Mit einer Fläche von 400 Hektar (= 566 Fußballfelder!) ist die letzte Ruhestätte von Millionen Hamburgern zugleich der größte Parkfriedhof der Welt. Neben kunstvollen Grabmalen gibt es 450 Pflanzen- und zahlreiche seltene Tier- und Insektenarten zu entdecken. Sehr lohnenswert ist ein Besuch des Friedhofsmuseums.

The Ohlsdorf cemetery is known far beyond Hamburg. With an area of 400 hectares (= 566 football fields!) it is the last resting place of millions of Hamburg citizens and at the same time the biggest parkland cemetery in the world. Not only are there elaborate gravestones but also 450 plant varieties and numerous rare animal and insect species to be discovered. A visit to the cemetery museum is well worthwhile.

Connu bien au-delà d'Hambourg : le cimetière d'Ohlsdorf. D'une superficie de 400 ha (=566 terrains de football), la dernière demeure de millions d'Hambourgeois est aussi le plus grand parc-cimetière du monde. A côté de monuments artistement décorés, 450 sortes de plantes et de nombreuses espèces rares d'animaux et d'insectes. Une visite au musée du cimetière en vaut la peine.

Traumhaft schön zeigt sich das Alstertal in Wellingsbüttel. Der schmale Fluss entspringt nahe Henstedt im Timhagener Brook und mündet nach 56 Kilometern in die Elbe. Im Alstertal ist sein Lauf wie gemacht für Wasserwanderer. Wer mehr über die Gegend und ihre Kulturgeschichte erfahren möchte, sollte das Alstertal-Museum im Wellingsbütteler Torhaus besuchen.

In Wellingsbüttel the Alster valley is particularly beautiful. The narrow river has its source near Henstedt in the Timhagen Brook and joins the Elbe after 56 km. The course of the river is ideal for water sports. Those wishing to find out more about the cultural history of the area should visit the Alstertal-Museum in the Wellingsbüttel gatehouse.

La beauté de la vallée de l'Alster à Wellingsbüttel fait rêver. Cette petite rivière prend sa source près de Henstedt dans le Timhagener Brook et se jette dans l'Elbe à 56 kms de là. Son cours est véritablement fait pour les randonnées sur l'eau. Pour en apprendre plus sur la région et son histoire, il faut visiter le Musée de l'Alstertal à Wellingsbüttel.

Einmalig und populär: In Bergedorf steht das einzige Schloss auf Hamburger Boden. Heute beherbergt der im 17. Jahrhundert errichtete Bau das Museum für Bergedorf und die Vierlande. Das Schloss geht auf eine bereits im Jahre 1212 erwähnte Wasserburg zurück. Von 1420 bis 1867 befanden sich Bergedorf und das südliche Landgbiet bis zur Elbe im gemeinschaftlichen Besitz von Hamburg und Lübeck.

Unique and popular: the only castle on Hamburg soil is in Bergedorf. Today the 17th century building houses the "Museum für Bergedorf und die Vierlande". Records make mention of a moated castle here in 1212. From 1420 to 1867 Bergedorf and the lands extending southwards to the Elbe were owned jointly by Hamburg and Lübeck.

Unique et populaire : le château de Bergedorf, le seul sur le territoire d'Hambourg. Construit au 17ème siècle, il abrite aujourd'hui le Musée « Bergedorf und die Vierlande ». Le château remonte à un château d'eau déjà mentionné en 1212. De 1420 à 1867, Bergedorf et le territoire au sud jusqu'à l'Elbe appartenaient en commun à Hambourg et Lübeck.

Tief im Osten zeigt sich Hamburg ländlich-beschaulich: Der Zollenspieker im Stadtteil Kirchwerder und vor allem das Zollenspieker Fährhaus sind ein beliebtes Ziel für Ausflügler, ob Radler, Auto- oder Motorradfahrer. Aber es gibt auch ganz praktische Gründe, hierherzukommen: Vom Zollenspieker pendelt Hamburgs einzige Autofähre über die Elbe zum Anleger des niedersächsischen Hoopte.

To the east Hamburg is rural and tranquil: Zollenspieker in the Kirchwerder district and particularly the Zollenspieker Fährhaus hotel is a popular destination for day trippers arriving by bike, car or motorbike. But there is also a practical reason for coming because Hamburg's only car ferry across the Elbe operates from here, to Hoopte in Lower Saxony.

Bien plus à l'Est, Hambourg se pare d'un calme champêtre : but d'excursions privilégié, que ce soit pour les cyclistes, les automobilistes ou les motocyclistes, le « Zollenspieker » dans le quartier de Kirchwerder et surtout le Zollenspieker Fährhaus. Mais il y a aussi des raisons plus prosaïques de venir ici : c'est du Zollenspieker que l'unique bac pour voitures traversant l'Elbe fait la navette jusqu'au ponton d'Hoopte en Basse-Saxe.

Bis zur Eingemeindung nach Hamburg 1937/38 war Harburg-Wilhelmsburg eine große preußische Industriestadt mit z.B. Gummiindustrie (u.a. Phoenix-Gummiwerke, heute Continental) und natürlich viel Hafenwirtschaft. Wie in der Speicherstadt werden auch die alten Quartiere an der Süderelbe mit moderner Architektur neu für Wohnen und Arbeiten bebaut. Über Harburg hinaus bekannt ist auch die große Technische Universität.

Until it was incorporated into Hamburg in 1937/38, Harburg-Wilhelmsburg was a large Prussian industrial town with, for instance, rubber industries (such as Phoenix-Gummiwerke, today Continental) and naturally also many harbour businesses. Just as in the Speicherstadt, here along the Süderelbe old buildings are being converted into modern residences and offices. The Technical University is well-known beyond Harburg.

Jusqu'à sa réunion avec Hambourg en 1937/38, Harburg-Wilhelmsburg était une grande ville industrielle prussienne, avec par ex. l'industrie du caoutchouc (entre autres Phoenix-Gummiwerke, aujourd'hui Continental) et bien sûr une économie portuaire. Comme dans la Speicherstadt, les anciens quartiers le long de la Süderelbe ont été réaménagés avec une architecture moderne pour y loger et y travailler. Bien connu au-delà d'Harburg : le grand Institut Technique Universitaire.

Die Lämmertwiete ist eine beliebte Harburger Straße zum Ausgehen. Die Fachwerkhäuser der Altstadt mit ihren urigen Kneipen und Restaurants geben einen Eindruck davon, wie es im Harburg des 18. Jahrhunderts an vielen Ecken aussah. Die meisten Gebäude sind Originale, einige Nachbauten.

Lämmertwiete is a popular street for a night out in Harburg. The half-timbered houses with their down-to-earth bars and restaurants give an impression of what much of Harburg was like in the 18th century. Most buildings are original, some are newly built.

A Harburg, quand on sort, on va dans le Lämmertwiete. Les maisons à colombages de la vieille ville avec leurs étranges bistrots et restaurants donnent une idée de ce qu'était Harburg au 18ème siècle. La plupart des maisons sont d'origine, quelques-unes ont été reconstruites.

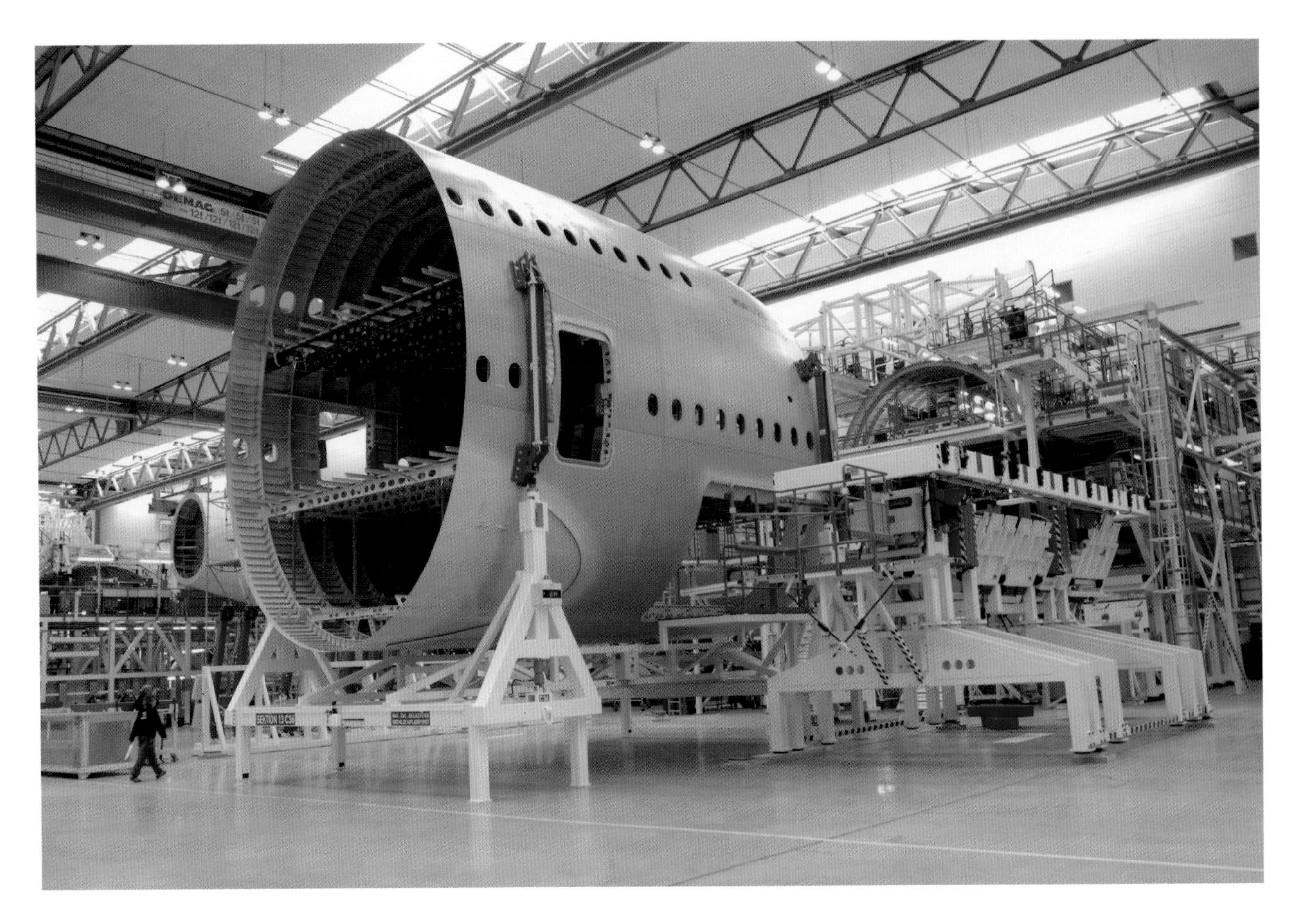

Wirtschaftspolitisch ein Glücksfall, aber nicht von allen geliebt, krisengeschüttelt, aber stetig ein bedeutender Arbeitgeber der Hansestadt: Blick in die Finkenwerder Werkshallen des Flugzeugbauers Airbus auf eine Rumpfsektion des »A 380«. Nach Seattle mit Boeing und dem Airbusschwesterwerk Toulouse in Frankreich ist Hamburg das drittgrößte Luftfahrtzentrum der Welt.

A stroke of luck for the economy, though not loved by all and torn by crises, but always an important employee for the Hanseatic city: a view of the Finkenwerder assembly plant of the aeroplane-builder Airbus and of an "A 380" fuselage section. After Seattle with Boeing and Toulouse with its Airbus sister factory, Hamburg is the third largest aircraft assembly centre in the world.

Vue sur une section du fuselage de l' « A 380 » dans les hangars de l'usine aéronautique Airbus. Sur le plan politico-économique une aubaine, pas toujours appréciée de tous, qui a subi des crises mais fournit beaucoup d'emplois en permanence. Après Seattle avec Boeing et l'usine-sœur Airbus de Toulouse en France, Hambourg devient le 3ème centre aéronautique du monde.

Blick auf ein Bauernhaus in Neuenfelde. Der Hamburger Stadtteil gehört zum Hamburger Teil des bis Stade reichenden »Alten Landes«, dem größten Obstgarten Norddeutschlands. Der Anbau von Äpfeln und Kirschen wird in diesem Marschgebiet entlang von Deichen und Kanälen bereits seit dem 14. Jahrhundert betrieben. Zur Obstblüte im Frühjahr ist das Alte Land ein Hamburger Ausflugs-Muss.

A farm in Neuenfelde. This Hamburg district is part of the "Alte Land" which extends as far as Stade and is the biggest orchard in northern Germany. Apples and cherries have been grown in these marshlands between the dykes and ditches since the 14th century. When the trees are in blossom the Alte Land is a must for day trippers from Hamburg.

Une ferme à Neuenfelde. Ce quartier d'Hambourg est situé dans la partie hambourgeoise de l'« Alte Land » qui va jusqu'à Stade et qui est le plus grand verger d'Allemagne du Nord. Depuis le 14ème siècle, on pratique, le long des digues et canaux, la culture de pommes et cerises dans cette région conquise sur l'eau. Au printemps à la floraison, l'Alte Land est incontournable.

Dem niedersächsischen Teil des Alten Landes gegenüber, verabschiedet sich die Elbe kurz nach dem Leuchtturm Wittenbergen aus Rissen, dem westlichsten Stadtteil des Bezirks Altona in Richtung Nordsee. Wittenbergen bedeutet »weiße Berge«. Der Name stammt aus der Zeit, als das gesamte Steilufer zur Elbe noch unbewaldet war, also nur den »witten« Sand zeigte.

Beyond the Wittenbergen lighthouse and between the Lower Saxony part of the Alte Land and Rissen, the western-most district of Altona, the Elbe heads in the direction of the North Sea. Wittenbergen means "white hills" and the name stems from a time when the steep banks of the Elbe were treeless and only the "witten" sand was to be seen.

En face de la partie Basse-Saxe de l'Alte Land, peu après le phare de Wittenbergen, l'Elbe prend congé de Rissen, le quartier d'Altona le plus à l'ouest, pour rejoindre la Mer du Nord. Wittenbergen signifie « montagnes blanches ». Le nom date de l'époque où la rive escarpée de l'Elbe n'était pas encore boisée et ne montrait par conséquent que du sable blanc.